Clémentine, la fée orange

Du même auteur,
dans la même collection :

1. Garance, la fée rouge
3. Ambre, la fée jaune
4. Fougère, la fée verte
5. Marine, la fée bleue
6. Violine, la fée indigo
7. Lilas, la fée mauve

Clémence, la fée des vacances

Clémentine, la fée orange

Daisy Meadows

Traduit de l'anglais par Charlie Meunier
Illustré par Georgie Ripper

Titre original :
Rainbow Magic - Amber the Orange Fairy

Publié pour la première fois en 2003
par Orchard Books, Londres.

Loi n° 49-956 du 16 juillet 1949 sur les publications
destinées à la jeunesse : janvier 2006.

La série « L'Arc-en-Ciel magique » a été créée
par Working Partners Limited, Londres.

ISBN 2-266-14863-X

Dédié à Fiona Waters,
qui a aimé les fées toute sa vie.

Avec des remerciements
tout particuliers
à Narinder Dhami.

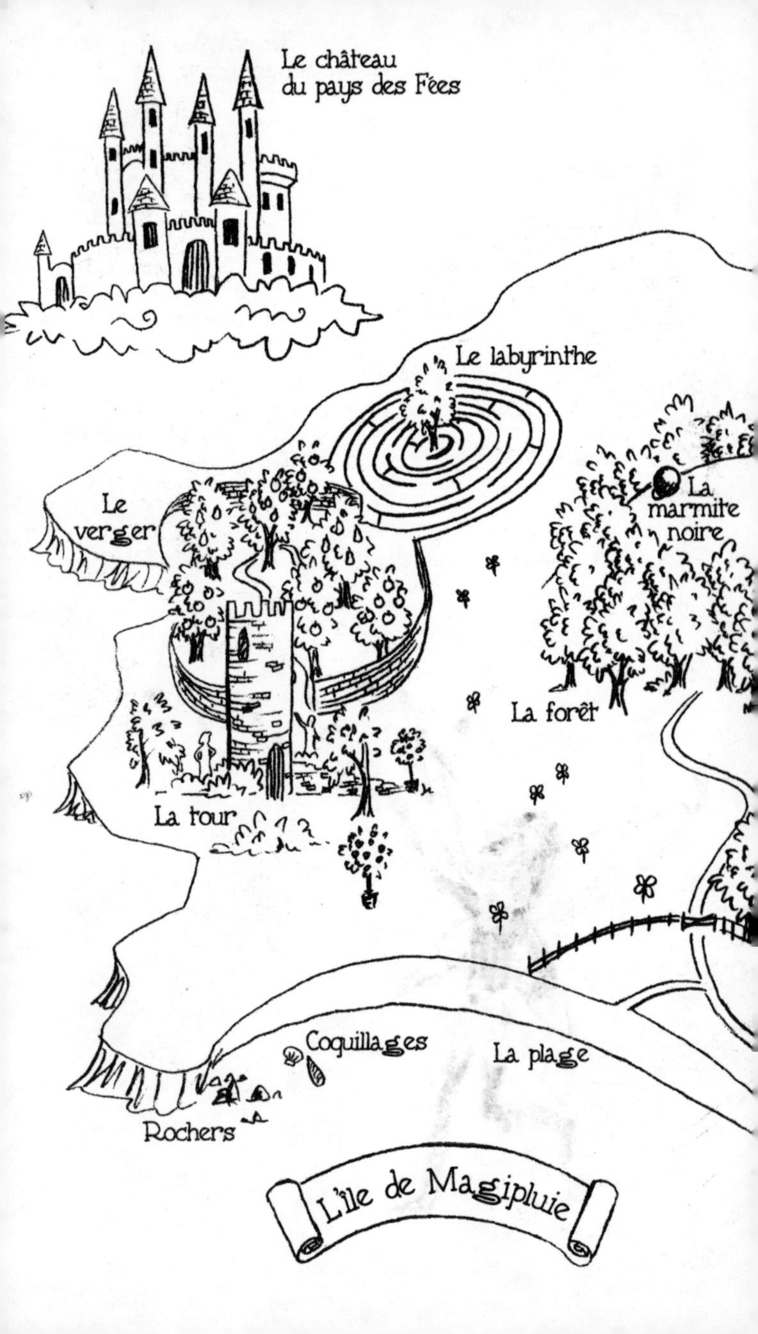
Le château
du pays des Fées
Le labyrinthe
Le
verger
La
marmite
noire
La forêt
La tour
Coquillages
La plage
Rochers
L'île de Magipluie

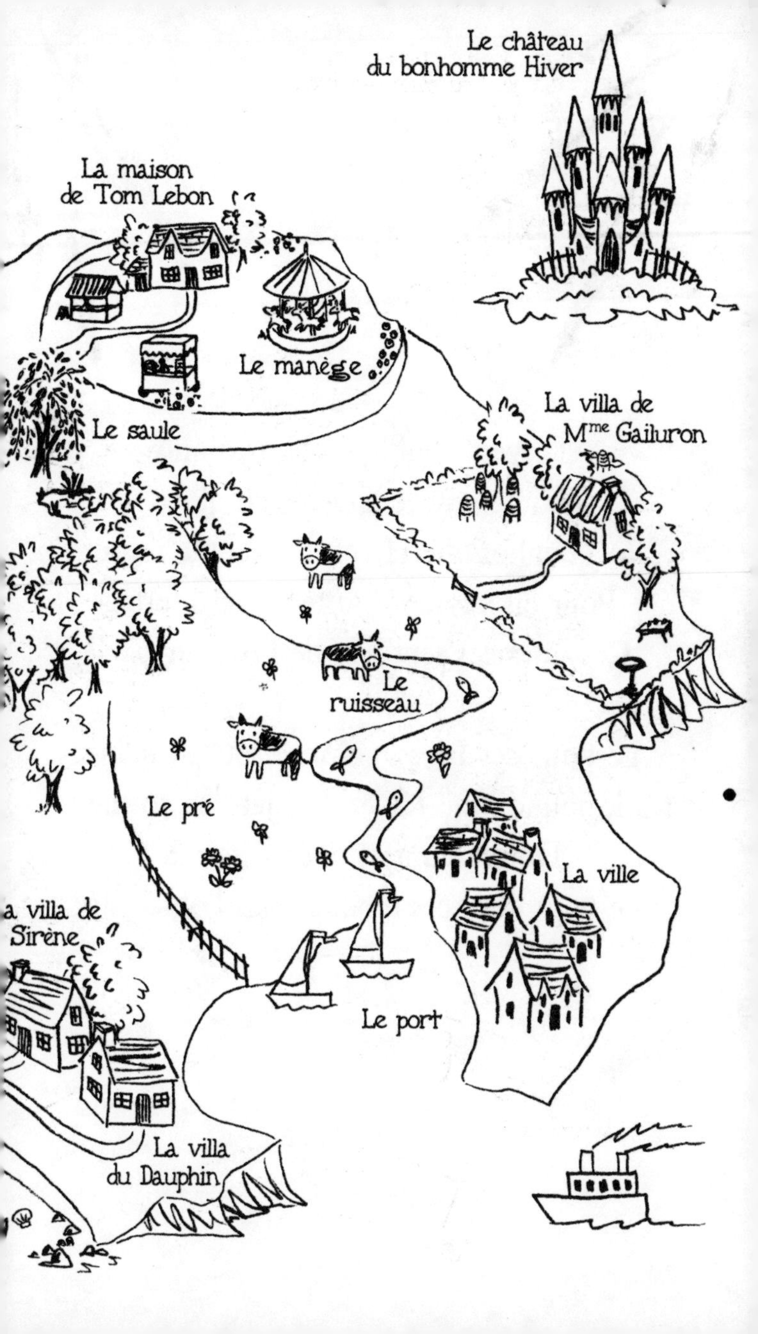

Le château
du bonhomme Hiver
La maison
de Tom Lebon
Le manège
La villa de
Mme Gailuron
Le saule
Le
ruisseau
Le pré
La ville
a villa de
Sirène
Le port
La villa
du Dauphin

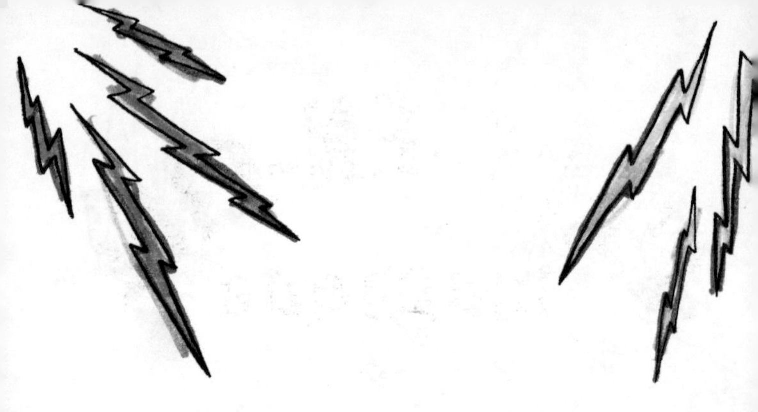

Le vent souffle en bourrasque,
Toute eau se change en glace.
Moi, bonhomme Hiver, j'ai jeté le masque
Pour disperser sur la terre des mortels
Ces satanées sept fées de l'Arc-en-Ciel !

Le pays des Fées s'enfonce sous la neige.
Moi, bonhomme Hiver, j'ai jeté un sortilège :
Dorénavant et pour l'éternité
Le pays des Fées plonge dans l'obscurité !

Protégée à l'ombre
du saule pleureur, Garance
est bien cachée dans la marmite
du Bout de l'Arc-en-Ciel.
À présent, Betty et Rachel
doivent retrouver

Clémentine, la fée orange

Un bien étrange coquillage

Betty Tate et Rachel Walker étaient en vacances sur l'île de Magipluie pour une semaine. Elles s'étaient rencontrées sur le bateau, au cours de la traversée. Aussitôt, les fillettes étaient devenues de vraies amies.

Ce jour-là, les deux familles avaient décidé de se promener sur la plage.

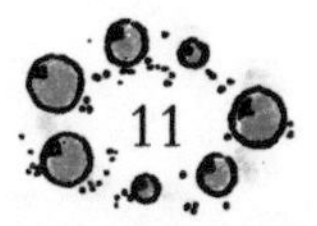

Les parents discutaient tout en marchant tandis que les filles couraient sur le sable fin.

– Quelle belle journée ! s'exclama Rachel.

– Oui, c'est une journée *magique* ! ajouta Betty.

Elles échangèrent un sourire complice. Eh oui, l'île était bel et bien enchantée ! Elles le savaient.

Les deux filles dépassèrent plusieurs flaques d'eau de mer qui scintillaient dans le soleil. Rachel entendit alors un léger *splash*.

– Betty, il y a quelque chose là-bas ! dit-elle. Allons voir !

Elles s'accroupirent, le cœur battant, pour scruter l'eau, limpide comme du cristal. Le fond de la flaque se troubla. Un petit crabe brun apparut et fila se cacher sous un rocher.

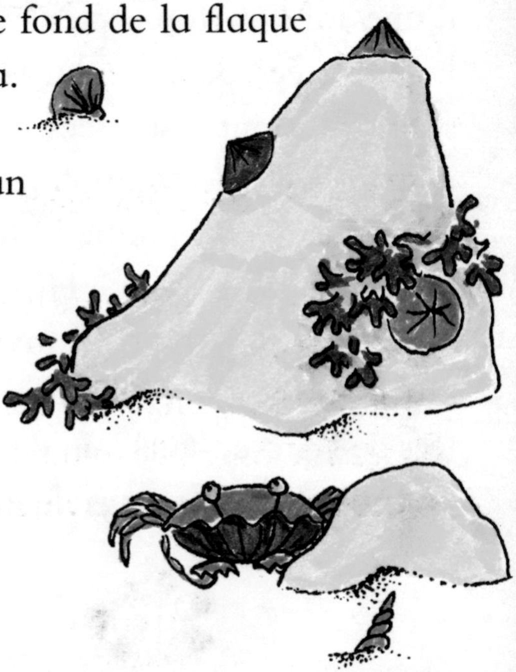

Déçue, Betty soupira :

– J'ai cru que c'était une autre fée de l'Arc-en-Ciel.

– Moi aussi, murmura Rachel. Dommage ! On continue à chercher...

– Bien sûr ! fit Betty, mais... chut, les parents approchent !

Betty et Rachel étaient chargées d'une mission top-secrète : retrouver les sept fées de l'Arc-en-Ciel qu'un sortilège avait dispersées aux quatre coins de l'île de Magipluie.

Lors du grand bal de l'Été au pays des Fées, le bonhomme Hiver, mécontent de ne pas avoir été invité, s'était cruellement vengé : il avait chassé les fées de l'Arc-en-Ciel loin de chez elles, privant ainsi leur pays de couleurs et

de chaleur. Le bonhomme Hiver était un puissant magicien : tant que les sept sœurs ne seraient pas rassemblées et revenues, le pays resterait plongé dans le froid et la grisaille.

Rachel fut tentée par la mer et ses reflets bleutés.

– Si on allait se baigner ? proposa-t-elle.

Mais Betty ne l'écoutait pas. La main en visière, elle examinait la plage avec attention.

– Là-bas, Rachel... près de ces rochers...

Rachel vit ce qu'elle lui montrait : quelque chose brillait dans le soleil.

– Attends-moi ! cria-t-elle à Betty qui fonçait déjà.

De nouveau elles se penchèrent, impatientes... Et de nouveau, elles poussèrent un énorme soupir.

– Rien qu'un emballage de chocolat, constata Rachel en ramassant le papier métallisé.

– Tu te souviens de ce que nous a dit la reine des Fées ? demanda soudain Betty.

– Oui, répondit Rachel. « La magie viendra à vous. » Tu as raison, Betty. Profitons de nos vacances, et laissons faire la magie toute seule. Puisque c'est comme ça que nous avons trouvé Garance !

Elle posa son sac sur le sable et lança :

– On fait la course jusqu'à la mer ?

L'eau était froide, mais le soleil leur chauffait délicieusement le dos. Elles firent de grands signes à leurs parents qui bavardaient sur la plage, et jouèrent longtemps dans les vagues.

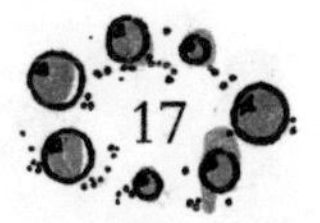

Épuisées par leurs sauts et leurs roulades, les filles se décidèrent enfin à sortir de l'eau.

– Ouille ! cria Betty. J'ai marché sur quelque chose de pointu.

– Ça doit être un coquillage, dit Rachel. Il y en a plein, par ici.

– On ramasse les plus beaux? proposa Betty.

Elles trouvèrent des coquillages bleus, longs et étroits, d'autres minuscules, ronds et blancs.

Au bout d'un moment, Betty regarda derrière elle : elles avaient dépassé la baie et se trouvaient hors de vue des parents. Soudain, un coup de vent lui rabattit les cheveux sur le visage. Elle s'arrêta, frissonnante.

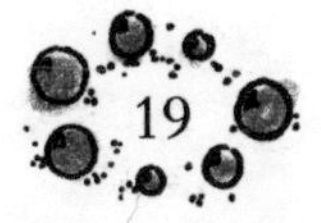

– Il fait froid tout d'un coup, dit-elle. On retourne ?

– D'accord. Et c'est bientôt l'heure du goûter.

Les deux amies firent demi-tour. Quelques pas plus loin, le vent retomba, aussi brusquement qu'il s'était levé.

– C'est bizarre, remarqua Betty. Il fait chaud de nouveau.

Derrière elles, le sable s'élevait en petits tourbillons. Elles échangèrent un regard émerveillé.

– C'est magique ! chuchota Betty. C'est *forcément* magique !

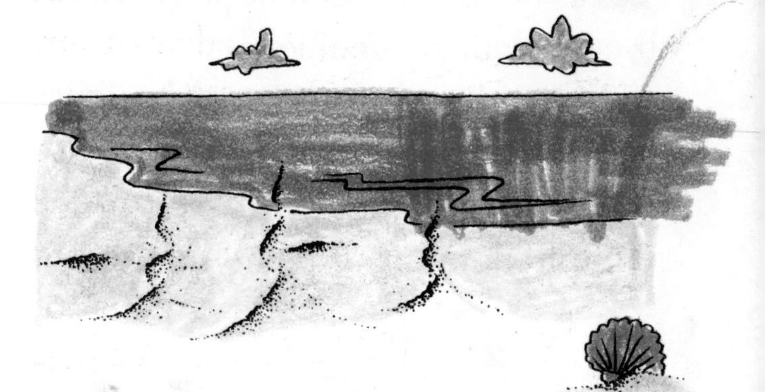

Les fillettes rebroussèrent chemin. Sous leurs pieds, le sable doré se mit à onduler, comme poussé par des mains invisibles. C'est alors qu'émergea un grand coquillage, beaucoup plus

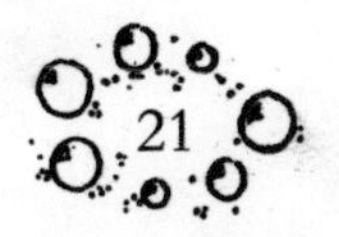

impressionnant que tous ceux qu'elles avaient ramassés jusque-là. Un coquillage d'un blanc nacré, zébré d'orange pâle. Il paraissait aussi bien fermé qu'un coffre-fort.

Les filles s'agenouillèrent pour mieux observer leur trouvaille.

– Écoute ! murmura Rachel.

Elles tendirent l'oreille.

À l'intérieur, une petite voix cristalline fredonnait, à peine audible…

La plume magique

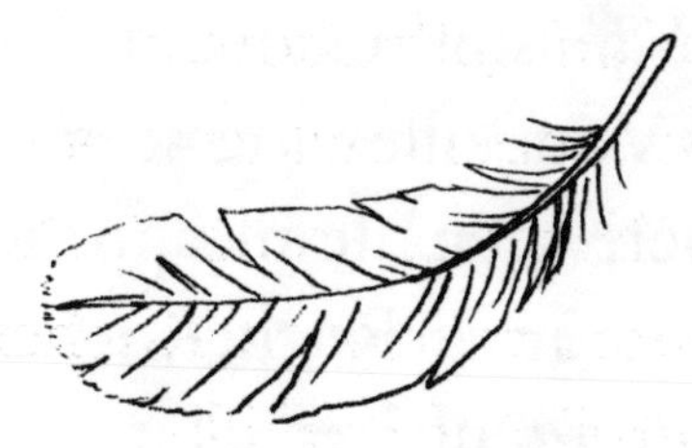

Avec délicatesse, Rachel prit la coquille dans ses mains. Elle était tiède et lisse.

Le fredonnement cessa aussitôt.

– Si je suis courageuse et patiente, on viendra me délivrer, fit la voix fluette.

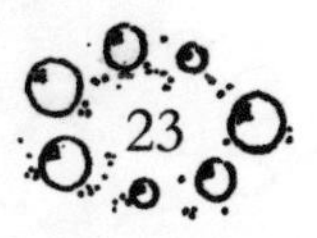

Betty colla sa bouche contre la coquille.

– Bonjour, chuchota-t-elle. Y a-t-il une fée, là-dedans ?

– Oui ! Je suis Clémentine, la fée orange ! Vous allez me sortir de là ?

– J'espère bien ! Je m'appelle Betty. Avec mon amie Rachel, nous ferons tout pour te libérer. Tu sais, nous avons déjà trouvé une autre fée de l'Arc-en-Ciel !

– Vite, dit Rachel. Ouvrons ce coquillage.

Elle tenta d'écarter les deux valves. Mais celles-ci résistaient.

– Essayons encore. À nous deux, nous y arriverons, déclara Betty.

Elles saisirent le coquillage à deux mains et tirèrent chacune de son

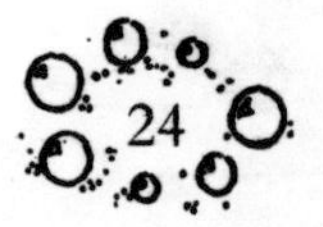

côté. Rien à faire, il ne s'ouvrit pas d'un millimètre.

À l'intérieur, la petite voix de Clémentine résonna, soucieuse :

– Que se passe-t-il ?

– Le coquillage est coincé, annonça Betty. Mais pas de panique ! Nous allons trouver une solution.

Elle se tourna vers Rachel et ajouta :

– On pourrait le forcer avec un bout de bois…

– Sauf que je ne vois pas le moindre bout de bois, sur

cette plage. Si on le tapait contre un rocher ?

– Non, ça risquerait de blesser Clémentine, objecta Betty.

Soudain, elle eut une idée.

– Tu te rappelles les bourses magiques que la reine nous a données ?

– Mais oui !

Rachel colla sa bouche contre le coquillage.

– Clémentine ! s'écria-t-elle. Ne t'inquiète pas, on sait comment faire !

– Dépêchez-vous, s'il vous plaît ! J'ai hâte de sortir !

Rachel ouvrit son sac de plage et souleva sa serviette. Les deux bourses aux mailles d'argent reposaient dessous, à l'abri. L'une d'elles baignait dans une lumière cuivrée.

– Regarde, chuchota-t-elle en la soulevant. Celle-là est comme allumée de l'intérieur.

– Ouvre-la vite !

Rachel obéit : un nuage de paillettes s'en échappa.

– Qu'est-ce qu'il y a dedans? s'écria Betty, impatiente.

Rachel en sortit un objet doux et vaporeux... Une plume d'or.

– C'est très joli, constata Betty. Mais à quoi ça va nous servir?

– Je ne sais pas, fit Rachel, perplexe.

Elle essaya de glisser la tige de la plume entre les deux moitiés du coquillage. Celle-ci plia entre ses doigts.

– Clémentine, dit Betty, nous avons trouvé une plume dans une bourse magique...

– Oh, parfait ! s'exclama la fée, rassurée.

– Mais nous ne savons pas quoi en faire, ajouta Rachel.

Clémentine éclata d'un rire léger comme un grelot.

– C'est pour chatouiller la coquille, évidemment ! gazouilla-t-elle.

– Tu crois que ça va marcher ? demanda Rachel à Betty.

– Essayons toujours.

Rachel caressa la coquille du bout de la plume. Au début, il ne se passa rien, pas le moindre signe. Puis elles entendirent un gloussement rauque. Et un autre. Encore un autre. Le coquillage frémit puis commença à s'entrouvrir.

– Ça marche, souffla Betty. Continue, Rachel !

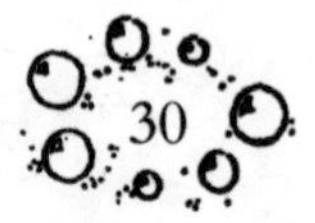

La coquille pouffait, à présent. Son rire enflait, énorme. Tout à coup, les deux valves s'écartèrent...

À l'intérieur, la fée orange était assise sur un lit de nacre.

L'inconnu dans la marmite

– Je suis libre, enfin! claironna la fée, radieuse.

Dans un battement d'ailes chatoyantes, elle prit son envol. Un nuage de paillettes orange tourbillonna autour des deux filles. En retombant, chaque paillette se transformait en bulle. L'une d'elles toucha

le bras de Rachel et éclata avec un tout petit *pop* !

– Ça sent l'orange ! dit Rachel en souriant.

Clémentine monta en vrille et enchaîna une série de pirouettes et cabrioles.

– Merci ! Mille mercis ! cria-t-elle, avant de redescendre en piqué vers les deux amies.

Elle portait une combinaison orange moirée et de hautes bottes. Ses cheveux étaient rassemblés en queue-de-cheval, attachée par une guirlande de fleurs de pêcher. Elle tenait à la main une baguette orange à bout doré.

– Je suis si contente que vous m'ayez délivrée !

Elle atterrit sur l'épaule de Rachel, et rebondit en faisant la roue pour atteindre celle de Betty.

– Mais qui êtes-vous ? babillait-elle. Et où sont mes sœurs Arc-en-Ciel ? Que s'est-il passé au pays des Fées ? Dites-moi ! Comment vais-je pouvoir y retourner ?

Les deux filles ne pouvaient placer un mot. Soudain Clémentine se tut et vint se poser en douceur sur la main de Rachel.

– Pardonnez-moi, reprit-elle. Cela fait longtemps que je n'ai pas parlé ! Je suis enfermée depuis que le mauvais sort du bonhomme Hiver nous a bannies du pays des Fées. Comment avez-vous réussi à me dénicher ?

– Betty et moi avons promis à ta sœur Garance de toutes vous retrouver, expliqua Rachel.

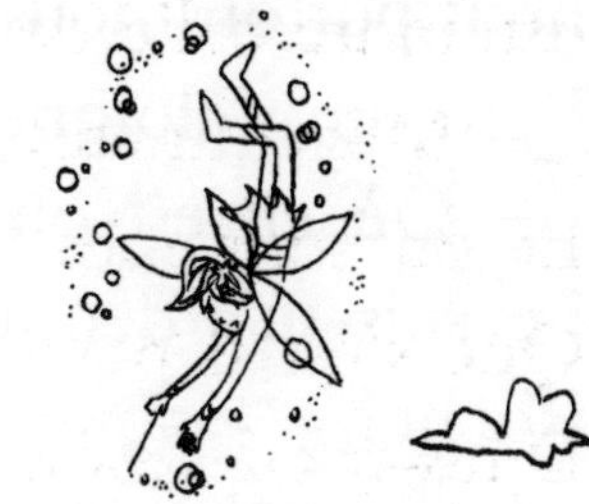

Le visage de la fée s'éclaira.

– Garance ? Vous savez où est Garance ?

– Oui, elle va bien. Elle est installée dans la marmite du Bout de l'Arc-en-Ciel.

Clémentine s'envola de joie pour une suite de sauts périlleux arrière.

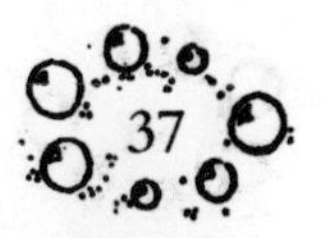

– Je voudrais la voir !

– Je vais prévenir les parents que nous partons nous promener, proposa Betty en s'éloignant.

– Où en est-on au pays des Fées ? Le sais-tu ? demanda Clémentine à Rachel.

Celle-ci hocha la tête. Elle se rappelait très bien leur voyage extraordinaire. D'un coup de baguette magique, Garance les avait métamorphosées en deux fées, aussi minuscules qu'elle. Puis elle les avait guidées jusqu'à cette contrée merveilleuse.

– Le roi Obéron et la reine Titania sont très malheureux de vous avoir perdues, raconta Rachel. Et sans ses couleurs, le pays entier est devenu très triste.

Clémentine était accablée ; ses ailes retombèrent dans son dos.

Déjà, Betty revenait en courant.

– Maman est d'accord, nous pouvons y aller ! dit-elle, hors d'haleine.

– Alors, qu'est-ce qu'on attend ? En route ! s'exclama Clémentine, son entrain revenu.

Elle s'envola en tourbillonnant sur elle-même.

– Rachel, tu peux prendre mon coquillage ? demanda-t-elle.

– Si tu veux, répondit celle-ci, étonnée.

– Cela fera un lit très joli pour mes sœurs et moi, expliqua Clémentine.

Rachel déposa le coquillage dans son sac, et ensemble, elles quittèrent la plage.

– J'ai les ailes un peu engourdies, après avoir été enfermée, dit la fée installée sur l'épaule de Betty. Je ne me sens pas capable de voler longtemps.

Elles retrouvèrent bientôt le sentier qui serpentait dans le bois. Il les mena à la clairière où était cachée la marmite du Bout de l'Arc-en-Ciel.

– C'est ici, annonça Betty. Je la vois.

Elle s'arrêta, imitée par Rachel. Le vieux faitout était bien là où elles l'avaient laissé, sous le saule pleureur. Mais la scène qui s'offrait à leurs yeux les pétrifia.

– Oh non! s'écria Rachel, horrifiée.

Un gros crapaud vert ronflait dans la marmite.

Où était passée Garance?!

Les joies du foyer

Sans hésiter, Rachel se précipita vers la marmite. Elle attrapa le crapaud à pleines mains et serra son ventre dodu.

Celui-ci la dévisagea, les yeux exorbités.

– Quoi ! Quoi ? Que se passe-t-il ? coassa l'animal.

Rachel eut si peur qu'elle le lâcha. La bête s'éloigna d'un bond, l'air fort mécontent.

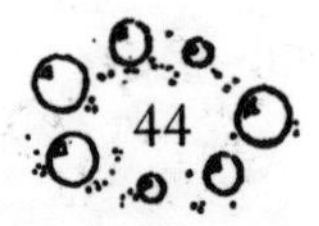

– Un crapaud qui parle ! bafouilla-t-elle, tremblante. Et on dirait... qu'il porte des lunettes...

– Bertram ! cria Clémentine en quittant l'épaule de Betty. Je ne t'avais pas reconnu !

La fée se précipita dans ses bras.

– Quel réveil ! fit ce dernier en secouant sa lourde tête. Mais quel bonheur de vous savoir en vie, mademoiselle Clémentine ! Je suis si heureux de vous revoir !

– Bertram n'est pas un crapaud ordinaire, expliqua Clémentine. C'est un des valets du roi Obéron.

– Ah oui ! s'écria Betty. Je m'en souviens, maintenant. Nous les avons vus au pays des Fées.

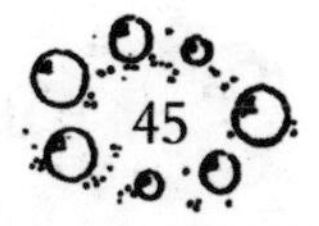

– Sauf que, là-bas, ils portaient tous une livrée violette, souligna Rachel.

– Veuillez m'excuser, mademoiselle, mais un crapaud en habit violet risquerait d'attirer l'attention sur l'île de Magipluie, remarqua Bertram. Il vaut mieux avoir l'air d'un crapaud ordinaire.

– Pourquoi es-tu venu ici, Bertram? demanda Clémentine. Et où est Garance?

– Ne vous inquiétez pas. Mlle Garance est bien à l'abri dans la marmite. C'est le roi qui m'envoie sur

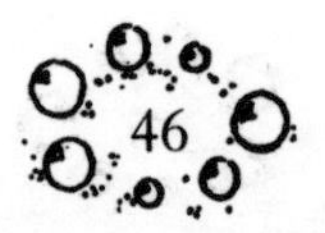

Magipluie, ajouta-t-il, l'air sombre. Les Fées des Nuages ont vu les gnomes du bonhomme Hiver quitter le pays en douce. Ils ont sans doute pour mission de vous rechercher toutes.

Betty frissonna de peur.

– Les gnomes du bonhomme Hiver? répéta-t-elle.

– Ce sont ses valets, expliqua Clémentine. Ils ont intérêt à ce que le pays reste froid et gris!

La petite fée tremblait de la tête aux pieds, affolée. Ses ailes fragiles frémissaient dans son dos.

– Ne craignez rien, mademoiselle Clémentine, coassa Bertram. Je suis là pour vous protéger.

Soudain, dans une nuée de paillettes rouges, Garance bondit hors de la marmite.

– J'ai entendu des voix ! clama-t-elle. Clémentine ! Je savais bien que c'était toi !

– Garance !

Et dans sa joie, Clémentine s'envola, se lança dans une ribambelle d'acrobaties aériennes, roues, culbutes et galipettes.

Enfin, les deux petites fées se jetèrent dans les bras l'une de l'autre. Autour d'elles, l'air pétillait de bonheur : de menues fleurs écarlates et des myriades de bulles orangées éclataient en feux d'artifice parfumés.

Puis, main dans la main, elles voletèrent vers Rachel et Betty.

– Merci, les filles ! dit Garance. Je suis si contente de retrouver Clémentine !

– Comment vas-tu ? s'enquit Rachel. Tu ne t'es pas ennuyée, toute seule ?

– Depuis que Bertram est arrivé, ça va mieux, avoua Garance. Et puis, la marmite est devenue un vrai logis de fées.

– J'ai apporté un très beau lit, gazouilla Clémentine. Montre-le, Rachel.

Rachel posa son sac par terre et en sortit le coquillage nacré.

– Il est magnifique ! s'exclama Garance. Voulez-vous visiter notre nouvelle demeure ? proposa-t-elle en souriant.

– Nous sommes bien trop grandes pour y entrer, protesta Rachel. À moins que... Tu pourrais nous transformer en fées ? Comme la dernière fois !

Garance hocha la tête. Clémentine et elle virevoltèrent au-dessus de la tête des filles et les couvrirent de poussière magique. Rachel et Betty se mirent à rapetisser, rapetisser encore, jusqu'à atteindre la taille de leurs minuscules amies.

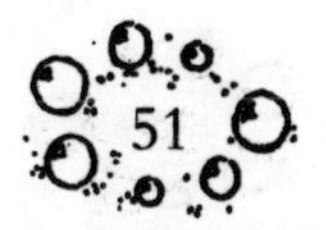

– J'adore être une fée, déclara Betty en se contorsionnant pour admirer ses ailes argentées.

– Moi aussi, renchérit Rachel, qui s'habituait à voir les fleurs hautes comme des arbres.

Bertram les rejoignit d'un bond.

– Je reste dehors pour surveiller, coassa-t-il.

Garance saisit la main de Betty, et Clémentine celle de Rachel. Toutes les quatre, elles prirent leur envol, évitant de justesse un papillon aussi grand qu'elles, aux ailes veloutées.

– Je vole de mieux en mieux ! s'exclama Betty en riant.

Elle atterrit en douceur sur le bord de la marmite et se pencha pour regarder dedans avec curiosité.

Le vieux faitout était inondé de soleil. Avec quelques brindilles et de l'herbe, Garance avait fabriqué de petites chaises ; en guise de coussins, elle avait disposé çà et là de jolies baies couleur grenat.

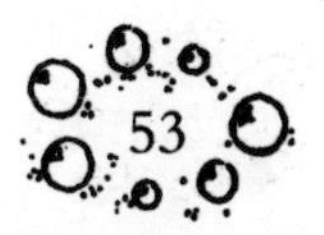

Le sol était couvert d'un tapis de feuilles vertes et brillantes.

– Si on apportait le coquillage ? suggéra Rachel.

– Quelle bonne idée !

Elles ressortirent de la marmite. Le coquillage était terriblement lourd pour quatre minuscules créatures. Mais

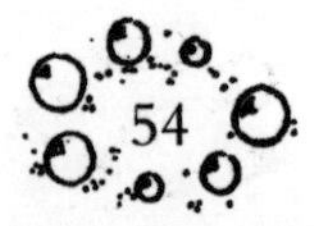

Bertram les aida à le pousser et à le hisser dans la marmite. Une fois le nouveau lit installé, Garance le tapissa de pétales de rose odorants.

– C'est si joli, ici, dit Rachel.

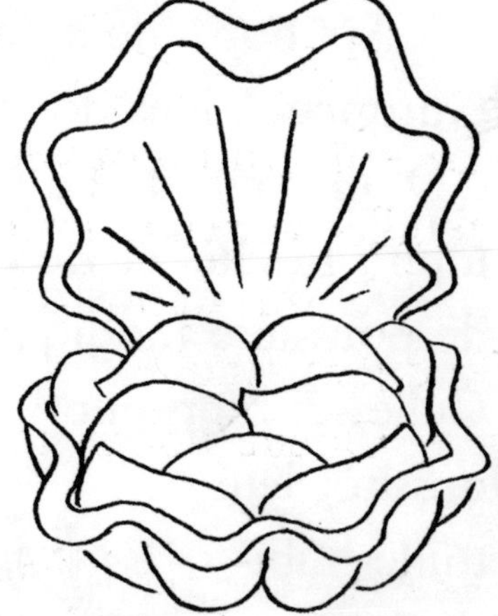

– J'aimerais bien y habiter! déclara Betty.

– Ça te plaît, Clémentine? voulut savoir Garance.

– C'est splendide. Ça me rappelle notre maison du pays des Fées. Elle me manque tant…

– Je peux déjà te montrer le pays, en attendant d'y retourner, proposa Garance. Suis-moi.

Elles retrouvèrent Bertram qui avait repris la garde devant la marmite.

– Où allez-vous, mesdemoiselles ? coassa-t-il.

– Au bord de la mare, répondit Garance. Viens donc avec nous.

D'un coup de baguette, elle enveloppa Rachel et Betty de poussière magique. Celles-ci reprirent aussitôt leur taille habituelle.

Garance s'envola au-dessus de la mare et répandit un nuage de paillettes à la surface de l'eau. Une image apparut, comme la première fois.

– Le pays des Fées ! s'écria Clémentine, émue.

Le château, les maisons-champignons, la rivière et les fleurs, tout était gris et morne, noyé dans la brume.

Rien n'avait changé depuis la veille, hélas !

Soudain, un coup de vent brouilla la nappe d'eau et l'image s'effaça.

– Que se passe-t-il? chuchota Betty.

Sous leurs yeux ébahis se formait un portrait – un visage maigre et grimaçant, avec des cheveux blancs de givre et une barbe alourdie de glaçons.

– Le bonhomme Hiver ! souffla Garance, saisie de peur.

Brusquement, un froid vif se fit sentir ; en un clin d'œil, l'eau se changea en glace.

– Que va-t-il arriver, maintenant ? murmura Rachel en grelottant.

– Rien de bon, affirma Bertram. Les gnomes du bonhomme Hiver sont dans les parages !

À la surface de la mare, la couche de glace épaississait ; l'horrible visage du bonhomme Hiver disparut.

– Suivez-moi, ordonna Bertram. Nous allons nous cacher dans ces broussailles.

– On ferait peut-être mieux de retourner dans la marmite, suggéra Garance.

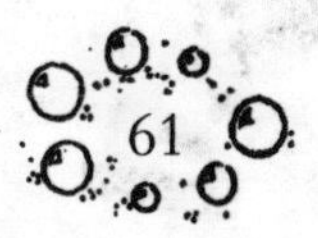

– Surtout pas ! Les gnomes traînent sans doute dans le coin, répliqua Bertram. Nous ne devons pas leur montrer notre cachette.

Les deux filles s'accroupirent dans le buisson touffu. Elles claquaient des dents. Garance et Clémentine, blotties sur l'épaule de Betty, ne bougeaient plus, terrifiées. Le froid devenait toujours plus mordant.

– À quoi ressemblent les gnomes ? s'enquit Rachel à voix basse.

– Ils sont plus gros que nous, chuchota Clémentine.

– Ils sont très laids, avec un nez crochu et des pieds énormes, ajouta Garance.

Elle s'empara de la main de sa sœur pour se rassurer.

– Chut, mademoiselle Garance, coassa Bertram. J'entends quelque chose.

Rachel et Betty tendirent l'oreille. Elles scrutèrent les alentours à travers le taillis. Une ombre à grand nez traversait la clairière et se dirigeait droit sur le buisson. Des feuilles bruissèrent à côté d'elles. Leur cœur cessa de battre.

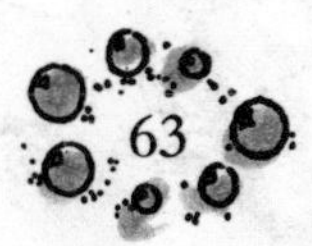

– Aïe ! fit une grosse voix bourrue. Qu'est-ce que tu fabriques ?

Rachel et Betty n'osaient plus respirer.

– Rien ! Avance ! répondit une autre voix brutale.

– Les gnomes ! murmura Clémentine à l'oreille de Betty.

– Tu m'as écrasé l'orteil, tonna la première voix.

– C'est pas vrai ! rétorqua la seconde.

– Mais si ! Fais donc attention où tu mets tes grands pieds !

– J'ai peut-être de grands pieds, mais mon nez est moins tordu que le tien !

Les broussailles remuaient de plus en plus. Les gnomes semblaient près de se battre.

– Pousse-toi de là ! cria l'un des deux. Ouille !

– Ça t'apprendra à me bousculer ! hurla l'autre.

Rachel et Betty échangèrent un regard affolé. Et si les gnomes les découvraient ?

– Stop ! On se calme ! soupira le premier. Ça va être notre fête si on ne trouve pas ces maudites fées. Tu te

souviens de l'ordre du bonhomme Hiver : « Empêchez-les de rentrer au pays. Coûte que coûte ! »

– Bon ben, elles sont pas là, en tout cas ! Allons voir ailleurs ! grommela le second.

Les voix s'affaiblirent, puis se turent. Le buisson cessa de tanguer. L'air tiédit de nouveau. Dans la mare, la glace fondait rapidement en se craquelant de part en part.

– Ils sont partis, coassa Bertram. Vite, réfugions-nous dans la marmite.

Ils contournèrent le plan d'eau et se dépêchèrent de rejoindre le saule. Le vieux faitout n'avait pas bougé ; il les attendait à l'abri des branches.

– Je reste à l'extérieur, au cas où les gnomes reviendraient, annonça Bertram.

Mais Betty poussa un cri, et tous se figèrent, médusés.

– Regardez ! La marmite a gelé !

Elle avait raison. Le récipient était couvert d'une épaisse couche de glace. Personne – pas même une fée – ne pouvait plus y pénétrer.

– Les gnomes ont dû passer tout à côté, soupira Garance. On a eu de la chance qu'ils ne l'aient pas repérée…

Oui, mais voilà… À quoi pourrait leur servir, désormais, une marmite si bien murée ?

De rage, Clémentine et Garance se mirent à tambouriner contre la glace

avec leurs petits poings. En vain, elle était bien trop épaisse pour céder.

– On pourrait peut-être la casser avec une branche, proposa Betty.

Bertram avait une autre idée.

– Reculez-vous, toutes ! ordonna-t-il.

Elles obéirent. Le grand crapaud prit son élan et bondit. Il atterrit au beau milieu de la surface gelée, ses pieds palmés bien à plat.

Rien. La glace résistait.

– Je recommence ! dit-il, essoufflé.

Il reprit son élan, et, de nouveau,

sauta à pieds joints. Cette fois, on entendit un craquement sourd. Au troisième choc, la glace se brisa en mille morceaux. Certains tombèrent au fond de la marmite. Rachel et Betty se dépêchèrent de les récupérer avant qu'ils fondent.

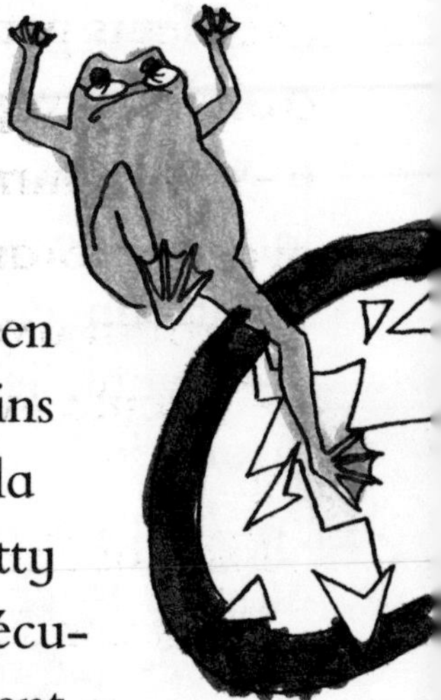

– Et voilà ! fit Bertram, assez content de lui.

– Merci ! s'exclama Garance.

Les deux petites fées embrassèrent de bon cœur le gros crapaud.

– Je n'ai fait que mon travail, mesdemoiselles, répondit-il d'un ton modeste. Et maintenant, ne quittez la marmite sous aucun prétexte. Ce serait dangereux.

– Avant, je veux dire au revoir à nos amies, protesta Clémentine.

– Nous serons bientôt de retour, affirma Rachel.

– Dès que nous aurons retrouvé une autre de vos sœurs, ajouta Betty.

– Merci mille fois de votre aide. Avec vous, nous sauverons le pays des Fées, j'en suis sûre !

– Bonne chance ! lança Garance. Nous vous attendrons ici. Viens, Clémentine.

Elle prit sa sœur par la main, et les deux fées s'envolèrent pour une

dernière pirouette. Elles se retournèrent encore une fois pour saluer Rachel et Betty, puis disparurent dans la marmite.

– Ne vous inquiétez pas, déclara le crapaud. Je veille sur elles.

– Alors il n'y a rien à craindre. À bientôt, Bertram, dit Rachel en ramassant son sac.

– À bientôt, répéta Betty.

Les filles s'éloignèrent et retrouvèrent le chemin à travers bois. Elles marchèrent un moment en silence, goûtant la fraîcheur de l'ombre.

Puis Betty reprit la parole :

– Je suis bien contente que Garance ne soit plus toute seule. Avec Clémentine et Bertram, elle ne risque rien.

– Ces gnomes m'ont fait peur, avoua Rachel en frissonnant. J'espère qu'on ne les reverra plus jamais.

Quand elles arrivèrent sur la plage, leurs parents étaient en train de replier les serviettes. Le père de Rachel les aperçut et vint à leur rencontre.

– Vous avez fait une longue promenade, dit-il, mécontent. Nous allions partir à votre recherche.

– On rentre à la maison ? s'enquit Rachel.

M. Walker acquiesça d'un signe de tête.

– C'est étrange, remarqua-t-il. Le temps a changé brutalement.

Un vent froid s'était levé. Rachel et Betty levèrent les yeux vers le ciel. Le soleil avait disparu derrière un gros nuage noir. Les arbres oscillaient dans la brise et les feuilles bruissaient. On aurait juré entendre une foule minuscule chuchoter mille secrets.

– Les gnomes du bonhomme Hiver sont toujours par ici ! murmura Betty.

– Tu as raison, souffla Rachel. Espérons que Bertram saura protéger Garance et Clémentine pendant que nous cherchons les cinq autres Fées...

Garance et Clémentine
sont saines et sauves.
Maintenant,
il faut vite trouver

Ambre, la fée jaune

Table des matières

Un bien étrange coquillage 11

La plume magique 23

L'inconnu dans la marmite............. 33

Les joies du foyer 43

Alerte aux gnomes! 61

Bertram à la rescousse 69

Rachel et Betty
réussiront-elles à libérer
Ambre ?

Pour le savoir,
lisez

Ambre,
la fée jaune

Une abeille menaçante

– Viens voir, Betty ! appela Rachel Walker.

Aussitôt, son amie accourut à travers le pré. L'herbe verte était parsemée de boutons-d'or et de pâquerettes.

– Où allez-vous ? Mais attendez-nous ! dit la mère de Betty.

Elle et son mari étaient en train de franchir une barrière à l'autre bout du champ.

– Qu'as-tu trouvé, Rachel ? s'exclama Betty, pleine d'espoir. Une autre fée de l'Arc-en-Ciel ?

– Je ne sais pas, répondit Rachel en désignant un ruisseau qui coulait à ses pieds.

– J'ai cru entendre quelque chose.

– Tu crois qu'il y a une fée ? suggéra Betty, le regard brillant.

Rachel hocha la tête et s'agenouilla dans l'herbe épaisse pour mieux écouter.

Betty en fit autant, l'oreille aux aguets.

L'eau bondissait sur les cailloux luisant au soleil. De minuscules arcs-en-ciel jetaient mille feux – rouge, orange, jaune, vert, bleu, indigo et violet.

C'est alors qu'une toute petite voix se fit entendre au milieu des clapotis.

– Suivez-moi... gazouillait-elle. Suivez-moi...

– Oh ! s'écria Rachel. Tu as entendu ?

– Oui, acquiesça Betty, les yeux écarquillés. Ce ruisseau doit être magique !

Rachel sentit son cœur bondir dans sa poitrine.

– Il va peut-être nous mener jusqu'à la fée jaune.

Rachel et Betty partageaient un secret, un grand secret. Elles avaient promis au roi et à la reine du pays des Fées de retrouver les sept fées de l'Arc-en-Ciel. Elles étaient dispersées aux quatre coins de l'île de Magipluie. Fâché de ne pas avoir été invité au grand bal de l'Été, le bonhomme Hiver leur avait jeté un sort et les avait chassées de chez elles. Tant qu'elles ne seraient pas rassemblées, le pays des Fées serait plongé dans la grisaille et le froid…

Des poissons argentés filaient entre les algues vertes qui tapissaient le lit du ruisseau.

– Suivez-nous... suivez-nous... chuchotaient-ils.

Rachel et Betty échangèrent un sourire. Titania, la reine du pays des Fées, leur avait bien dit que la magie viendrait à elles, sans qu'elles la cherchent !

Les parents de Betty s'étaient, eux aussi, arrêtés pour admirer le cours d'eau.

– Et où va-t-on, maintenant ? demanda M. Tate.

– Partons par là, proposa Betty en désignant la berge.

Un martin-pêcheur s'envola d'une branche. Des papillons chamarrés voletaient parmi les roseaux.

– Tout est si beau, sur l'île de Magipluie ! s'écria la mère de Betty. Je suis contente qu'il nous reste encore cinq jours de vacances !

Oui, pensa Rachel, *et cinq fées à retrouver : Ambre, Fougère, Marine, Violine… et Lilas !*

Garance, la fée rouge, et Clémentine, la fée orange, étaient déjà à l'abri dans la marmite du Bout de l'Arc-en-Ciel.

Les deux amies coururent le long du ruisseau pour s'éloigner des parents. Un gros nuage noir voila soudain le soleil.

Un vent froid balaya les cheveux des fillettes. Les feuilles des arbres jaunirent d'un seul coup.

– Les gnomes du bonhomme Hiver doivent traîner dans les parages, remarqua Betty.

– Sans doute, approuva Rachel en frissonnant. Quelles

horribles créatures ! Ils feront tout pour empêcher les fées de retourner chez elles.

Les filles scrutaient le ciel d'un œil inquiet. En voyant réapparaître le soleil, elles poussèrent un soupir de soulagement.

Le cours d'eau traversait à présent une clairière couverte de trèfles odorants. Un troupeau de vaches broutait dans le pré, paisible. Les bêtes dévisagèrent Rachel et Betty de leurs immenses yeux bruns.

– Elles sont belles, non ? dit Betty.

Soudain, les vaches s'agitèrent, puis s'enfuirent à l'autre bout du champ. La terre tremblait sous leurs sabots.

Les deux amies se regardèrent, étonnées. Que se passait-il donc ?

Un bourdonnement se fit alors entendre, qui enflait, enflait, toujours plus fort. Un gros point noir fonçait droit sur elles. Rachel se figea, terrifiée.

[...]

À suivre...

Découvre vite, dans la collection

1. Garance, la fée rouge
3. Ambre, la fée jaune
4. Fougère, la fée verte
5. Marine, la fée bleue
6. Violine, la fée indigo
7. Lilas, la fée mauve

Clémence, la fée des vacances

Composition : Francisco *Compo*
61290 Longny-au-Perche

Impression réalisée sur Presse Offset par

BRODARD & TAUPIN

GROUPE CPI

La Flèche (Sarthe), le 14-08-2006
N° d'impression : 36445

Dépôt légal : janvier 2006.
Suite du premier tirage : août 2006.

Imprimé en France

12, avenue d'Italie

75627 PARIS Cedex 13